楷书入门
基础练习

偏旁部首

荆霄鹏 书

U0126983

长江出版传媒 | 湖北美术出版社

图书在版编目（CIP）数据

楷书入门基础练习. 偏旁部首 / 荆霄鹏书 .— 武汉:

湖北美术出版社, 2010.8（2020. 7 重印）

ISBN 978-7-5394-3642-5

Ⅰ. ①楷… Ⅱ. ①荆… Ⅲ. ①楷书—书法 Ⅳ.

①J292.113.3

中国版本图书馆 CIP 数据核字(2010)第 145880 号

楷书入门基础练习·偏旁部首　　ⓒ 荆霄鹏 书

出版发行：长江出版传媒　湖北美术出版社
地　　址：武汉市洪山区雄楚大街 268 号 B 座
电　　话：(027)87391256　87391503
邮政编码：430070
h t t p：//www.hbapress.com.cn
E-m a i l：hbapress@vip.sina.com
印　　刷：崇阳文昌印务股份有限公司
开　　本：787mm×1092mm　1/16
印　　张：3
版　　次：2010 年 8 月第 1 版　2020 年 7 月第 15 次印刷
定　　价：23.00 元

读者问卷

为向"墨点"的忠实读者们提供优质图书，让大家在较短时间内练出更好的字，达到事半功倍的效果，也为更多地了解你们练习后一些真实的好的想法，在此设计这份问卷调查表，希望您能积极参与，前一百名将会得到"墨点"字帖送给您的温馨礼物一份哦！

姓　　名		性　　别	
年龄（或年级）		E-mail	
Q　Q		电　话	
地　　址		邮　编	

1. 您在何处购买字帖？

　□ 新华书店　　□ 学校附近书店　　□ 批发市场　　□ 网上购买　　□ 其它 _____

2. 您购买此本书的原因：（可多选）

　□ 内容较好　　□ 封面漂亮　　□ 有描摹临的功能　　□ 作者的字漂亮　　□ 其它 _____

3. 您希望购买的字帖有哪些内容？（可多选）

　□ 技法讲解　　□ 古诗词名言类　　□ 教程与练习类　　□ 经典美文　　□ 非描摹纸字帖

　□ 与语文课本同步　　□ 与英语课本同步　　□ 常用字　　□ 情感心语　　□ 其它 _____

4. 您喜欢练哪一些书法家的字帖？（可多选）

　□ 荆霄鹏　　□ 张克江　　□ 刘青春　　□ 田英章　　□ 司马彦　　□ 庞中华

　□ 李放鸣　　□ 吴玉生　　□ 张秀　　□ 字体好看，不一定是名家　　□ 其它 _____

5. 您喜欢练习哪种字帖？

　□ 钢笔　　□ 毛笔　　□ 英文　　□ 书带教学光盘　　□ 其它 _____

6. 您喜欢下列哪一些练习方式？（可多选）

　□ 摹写　　□ 临写　　□ 描红

7. 请评价一下此书的优缺点？

_____

8. 您购买字帖的关注点是什么？需求何种类型的字帖？

_____

_____

地　　址：武汉市洪山区雄楚大街268号出版文化城C座603室　　　　邮编：430070

收信人："墨点"字帖编辑部　　　　电话：027-87391503　　　　QQ：2802226537

E-mail：xxjt@163.com　　　　天猫网址：http://whxxts.tmall.com

* 正确的握笔姿势与执笔方法 *

写字是人生的一种综合修炼,除了我们平常说的写字有益于培养认真细致、体贴人的好习惯好作风,有助于提高人的艺术修养等等之外,写字还有利于人的身心健康。

良好的写字姿势是培养健康身心的前提。姿势正确有利于提全身之力,集中注意力,使心境达到宁静平和,身体的各个器官达到和谐统一,这样既写好了字,又锻炼了身体,可谓一举多得。

一、写字姿势

头正,即头部竖正,不偏不倚,眼睛离纸张一尺的距离;

身正,就是腰板要挺直,两肩放平,胸部离桌子一拳的距离,不要贴近案桌;

臂开,以双肘作支撑,双臂自然放开,一左一右,左手按纸,右手执笔,不能将左右手肘部置于案外;

足安,两脚自然平放,不能两脚盘起,或翘在膝盖上。

二、执笔方法

硬笔执笔主要是三指执笔法,即右手大拇指和食指两面夹笔,笔的另一面靠近中指第一关节处,这样就形成了三面夹笔,笔的上端靠近虎口,无名指和小指紧靠中指之下,成为中指的后盾,这样笔固定在手上就很牢靠了,不会随意转动。

执笔不要过浅,笔尖距手指的距离要保持在两厘米左右。如果太低了,整个手挡住了笔尖,会影响书写者的视线,为了看清所写的字,就会养成头部左偏的习惯,这样不仅写不好字,还会影响到颈椎的健康。

执笔不要过紧。笔在手中应该是牢靠固定的,但并不意味着要用三指死死地抓住笔杆。有人认为握笔牢则写字有劲,这是不对的。执笔太牢不仅写不好字,而且时间长了就会指酸手软,让人备感疲劳,会大大降低学写字的兴趣。

作品欣赏二

在	月	望	床
青	呼	明	前
云	作	月	明
端	白	低	月
唐李白诗三首荆雪鹏	玉	头	光
	盘	思	疑
	又	故	是
	疑	乡	地
	瑶	小	上
	台	时	霜
	镜	不	举
	飞	识	头

 创作说明 ◇◆◇◆◇◆◇◆◇◆◇◆◇◆◇

　　这幅作品的形式是条幅。作品幅式呈竖式，竖向字数大于横向字数。如末行正文下方留空较大，落款可写在末行正文的下方；如末行正文较满，也可以另起一行落款。落款布局时应留出余地，款的底端一般不与正文平齐。如另起行落款，则上下均不宜与正文平齐。印章不可过大。

汉字笔顺规则

笔顺规则	例字	笔 顺				
先横后竖	丰	一	二	三	丰	
先撇后捺	从	ノ	人	从	从	
先横后撇	左	一	ナ	左	左	左
从上到下	意	二	立	音	音	意	意
从左到右	冯	、	冫	冯	冯	冯
从外到内	冈	丨	冂	冈	冈	
先内后外	凶	ノ	乂	凶	凶	
先中间后两边	水	丨	가	水	水	
先两边后中间	坐	人	从	坐	坐	坐
先里头后封口	四	丨	冂	四	四	四

作品欣赏一

 创作说明 ◇◇◇◇◇◇◇◇◇◇◇◇◇◇◇◇◇◇◇◇◇◇◇◇◇◇◇◇◇

　　这两幅作品的形式是横幅。作品幅式呈横式，横向字数大于竖向字数。书法作品一般的书写顺序是由上至下，由右至左，正文完成后写落款。正文用楷书，落款则可用楷书或行书。落款字不可大于正文字。印章不可过大。传统书法作品不使用标点符号。

霄鹏抄	唐李峤诗	竿斜	入竹	千尺万	花过浪	开二江	秋叶月	解落能	三

霄鹏抄	清袁枚诗	口立	忽然闭	捕鸣蝉	樾意欲	声振林	黄牛歌	牧童骑	

偏旁部首：言字旁

技法图解

点稍靠右 ——→

竖稍倾斜

指点迷津

▶ 点不宜低
▶ 点竖直对
▶ 钩锋有力

偏旁部首练习

讠 讠 讠 讠 讠 讠

讠 讠 讠 讠 讠 讠

讠 讠 讠 讠 讠 讠

例字练习

认	认 认		认 认
计	计 计		计 计
订	订 订		订 订

城市别称

长沙 → 潭城　广州 → 花城

济南 → 泉城　开封 → 河城

单元复习五

巩固练习

钅	钅	钅			钅	钅	
鸟	鸟	鸟			鸟	鸟	
虍	虍	虍			虍	虍	
走	走	走			走	走	
豕	豕	豕			豕	豕	
雨	雨	雨			雨	雨	
隹	隹	隹			隹	隹	

速度练习

三分钟完成	此	情	可	待	成	追	忆	，
	只	是	当	时	已	惘	然	。

偏旁部首：立刀旁

技法图解

坚挺有力

钩勿大

指点迷津

▶ 短竖勿长

▶ 竖钩挺直

▶ 出钩锋利

偏旁部首练习

刂	刂	刂	刂	刂	刂
刂	刂	刂	刂	刂	刂
刂	刂	刂	刂	刂	

例字练习

划	划	划			划	划	
刚	刚	刚			刚	刚	
判	判	判			判	判	

城市别称

昆	明	→	春	城	苏	州	→	水	城
武	汉	→	江	城	许	昌	→	烟	城

偏旁部首：隹字旁

技法图解

四横等距

隹

竖笔要长　　末横稍长

指点迷津

▶ 首撇勿长
▶ 竖笔劲直
▶ 四横平行

偏旁部首练习

隹	隹	隹	隹	隹	隹
隹	隹	隹	隹	隹	隹
隹	隹	隹	隹	隹	隹

例字练习

堆	堆	堆			堆	堆
谁	谁	谁			谁	谁
准	准	准			准	准

花意花语

木	兰	花	—	灵	魂	高	尚
薄	雪	草	—	念	念	不	忘

偏旁部首：单人旁

技法图解

亻←注意起笔位置

指点迷津

▶ 撇不宜长
▶ 竖用垂露
▶ 其身勿斜

偏旁部首练习

亻	亻	亻	亻	亻	亻
亻	亻	亻	亻	亻	亻
亻	亻	亻	亻	亻	亻

例字练习

亿	亿	亿		亿	亿
仁	仁	仁		仁	仁
仆	仆	仆		仆	仆

城市别称

扬 州 → 芜 城　泉 州 → 鲤 城

柳 州 → 龙 城　泸 州 → 酒 城

偏旁部首：雨字头

技法图解

四点向中竖靠拢

指点迷津

▶ 中竖居正

▶ 四点匀布

▶ 左右对称

偏旁部首练习

雨 雨 雨 雨 雨 雨

雨 雨 雨 雨 雨 雨

雨 雨 雨 雨 雨 雨

例字练习

雪	雪	雪			雪	雪
雾	雾	雾			雾	雾
需	需	需			需	需

花意
花语

| 康 | 乃 | 馨 | — | 母 | 亲 | 之 | 花 |
| 龙 | 船 | 花 | — | 争 | 先 | 恐 | 后 |

偏旁部首：单耳刀

技法图解

注意斜度

卩

竖末悬针

指点迷津

▶ 横不宜长
▶ 右竖回收
▶ 竖笔劲直

偏旁部首练习

卩	卩	卩	卩	卩	卩
卩	卩	卩	卩	卩	卩
卩	卩	卩	卩	卩	卩

例字练习

卫	卫	卫		卫	卫
叩	叩	叩		叩	叩
印	印	印		印	印

城市别称

| 东 | 川 | → | 铜 | 都 | 平 | 阳 | → | 矾 | 都 |
| 重 | 庆 | → | 山 | 城 | 蚌 | 埠 | → | 珠 | 城 |

偏旁部首：豕字旁

技法图解

长短不同

钩居正中

指点迷津

▶ 参差均匀

▶ 收放有度

▶ 其身勿斜

偏旁部首练习

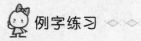
例字练习

家	家	家			家	家	
象	象	象			象	象	
豪	豪	豪			豪	豪	

花意
花语

| 太 | 阳 | 菊 | — | 欣 | 欣 | 向 | 荣 |
| 红 | 棉 | 花 | — | 英 | 雄 | 之 | 花 |

偏旁部首：双耳刀（左）

技法图解

阝 右部对齐

不可悬针

指点迷津

▶ 耳廓勿大

▶ 右部对齐

▶ 竖用垂露

偏旁部首练习

阝	阝	阝	阝	阝	阝
阝	阝	阝	阝	阝	阝
阝	阝	阝	阝	阝	阝

例字练习

队	队	队			队	队	
阡	阡	阡			阡	阡	
防	防	防			防	防	

城市别称

漳州 →	果城	福州 →	榕城
温州 →	鹿城	惠州 →	鹅城

偏旁部首：走字旁

技法图解

竖稍靠右　右部取齐

走

捺脚稍长

指点迷津

▶ 三横等距
▶ 两竖对正
▶ 撇短捺长

偏旁部首练习

走 走 走 走 走 走

走 走 走 走 走 走

走 走 走 走 走 走

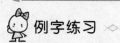例字练习

赵　赵 赵 　　　赵 赵

赴　赴 赴 　　　赴 赴

趋　趋 趋 　　　趋 趋

花意花语

月 见 草 —— 默 默 的 爱

万 年 青 —— 四 季 常 青

偏旁部首：双耳刀（右）

技法图解

下廓稍大

阝

一般悬针

指点迷津

▶ 耳廓稍大
▶ 竖笔劲直
▶ 竖末悬针

偏旁部首练习

例字练习

邓	邓	邓			邓	邓
那	那	那			那	那
郑	郑	郑			郑	郑

城市别称

| 宜 | 兴 | 陶 | 都 | 鞍 | 山 | 钢 | 都 |
| 铜 | 仁 | 汞 | 都 | 个 | 旧 | 锡 | 都 |

偏旁部首：虎字头

技法图解

撇勿过弯

虎

留下位置

指点迷津

▶ 四横扛肩
▶ 撇用竖撇
▶ 七部上靠

偏旁部首练习

虍	虍	虍	虍	虍	虍
虍	虍	虍	虍	虍	虍
虍	虍	虍	虍	虍	虍

例字练习

虎	虎	虎		虎	虎
虏	虏	虏		虏	虏
虑	虑	虑		虑	虑

花意花语

| 勿 | 忘 | 我 | — | 永 | 恒 | 的 | 爱 |
| 扶 | 郎 | 花 | — | 扶 | 助 | 郎 | 君 |

偏旁部首：三点水

技法图解

距离不同

注意指向

指点迷津

▶ 略呈弧形

▶ 两点形同

▶ 末提勿平

偏旁部首练习

氵	氵	氵	氵	氵	氵
氵	氵	氵	氵	氵	氵
氵	氵	氵	氵	氵	氵

例字练习

汁	汁	汁			汁	汁
汇	汇	汇			汇	汇
汉	汉	汉			汉	汉

城市别称

厦	门	→	鹭	城	自	贡	→	盐	城
抚	顺	→	煤	城	内	江	→	甜	城

偏旁部首：鸟字旁

技法图解

点上下居中
鸟
横稍长　稍带弧度

指点迷津

▶ 首撇勿斜

▶ 三竖稍斜

▶ 末横左探

 偏旁部首练习

鸟	鸟	鸟	鸟	鸟	鸟
鸟	鸟	鸟	鸟	鸟	鸟
鸟	鸟	鸟	鸟	鸟	鸟

例字练习

鸡	鸡	鸡			鸡	鸡
鸭	鸭	鸭			鸭	鸭
鸢	鸢	鸢			鸢	鸢

 花意花语

风	铃	草	—	温	柔	的	爱
红	山	茶	—	天	生	丽	质

单元复习一

🎀 巩固练习 ◇◇◇◇◇◇◇◇◇◇◇◇◇◇◇◇◇◇◇◇◇◇

讠	讠	讠			讠	讠		
刂	刂	刂			刂	刂		
亻	亻	亻			亻	亻		
卩	卩	卩			卩	卩		
阝	阝	阝			阝	阝		
阝	阝	阝			阝	阝		
氵	氵	氵			氵	氵		

🐱 速度练习 ◇◇◇◇◇◇◇◇◇◇◇◇◇◇◇◇◇◇◇◇◇◇

| 三分钟完成 | 衣 | 带 | 渐 | 宽 | 终 | 不 | 悔 | , |
| | 为 | 伊 | 消 | 得 | 人 | 憔 | 悴 | 。 |

偏旁部首：金字旁

技法图解

右部取齐

钅

末横稍长

指点迷津

▶ 三横等距
▶ 竖笔劲挺
▶ 其身宜高

 偏旁部首练习

钅	钅	钅	钅	钅	钅
钅	钅	钅	钅	钅	钅
钅	钅	钅	钅	钅	钅

 例字练习

针	针	针			针	针
铃	铃	铃			铃	铃
钞	钞	钞			钞	钞

花意
花语

| 火 | 百 | 合 | — | 喜 | 气 | 洋 | 洋 |
| 白 | 百 | 合 | — | 百 | 年 | 好 | 合 |

偏旁部首：**竖心旁**

技法图解

右点小、平、高

左点大、直、低

指点迷津

▶ 左点稍直
▶ 右点稍平
▶ 竖笔劲直

偏旁部首练习

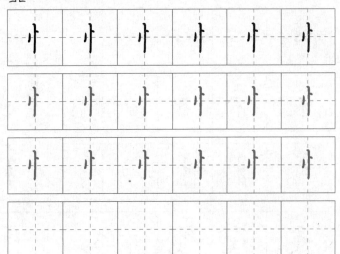

例字练习

忙	忙	忙			忙	忙
忧	忧	忧			忧	忧
怔	怔	怔			怔	怔

三十六计

瞒 天 过 海　　围 魏 救 赵

借 刀 杀 人　　以 逸 待 劳

单元复习四

巩固练习

心	心	心				心	心			
礻	礻	礻				礻	礻			
木	木	木				木	木			
气	气	气				气	气			
攵	攵	攵				攵	攵			
疒	疒	疒				疒	疒			
皿	皿	皿				皿	皿			

速度练习

| 三分钟完成 | 落 | 红 | 不 | 是 | 无 | 情 | 物 | ， |
| | 化 | 作 | 春 | 泥 | 更 | 护 | 花 | 。 |

偏旁部首：宝盖儿

技法图解

首点居正
左点直立
宀
似鸟视胸

指点迷津

▶ 两点不同
▶ 横笔舒展
▶ 钩部锋利

偏旁部首练习

例字练习

它	它	它		它	它
守	守	守		守	守
字	字	字		字	字

三十六计

| 趁 | 火 | 打 | 劫 | 声 | 东 | 击 | 西 |
| 无 | 中 | 生 | 有 | 暗 | 度 | 陈 | 仓 |

偏旁部首：皿字底

技法图解

等距
|○|○|○|
皿
长横略带弧度

指点迷津

▶ 竖笔匀距
▶ 其形勿高
▶ 末横伸展

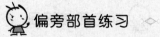 偏旁部首练习

皿	皿	皿	皿	皿	皿
皿	皿	皿	皿	皿	皿
皿	皿	皿	皿	皿	皿

例字练习

盂	盂	盂		盂	盂	
益	益	益		益	益	
盆	盆	盆		盆	盆	

情感之最

最忧心的是同情。
最感谢的是恩情。

偏旁部首：**门字框**

技法图解

上部齐平

门

右竖稍低

指点迷津

▶ 左右相称
▶ 右竖稍长
▶ 其形稍高

偏旁部首练习

门	门	门	门	门	门
门	门	门	门	门	门
门	门	门	门	门	门

例字练习

闰	闰	闰			闰	闰
间	间	间			间	间
闲	闲	闲			闲	闲

三十六计

| 隔 | 岸 | 观 | 火 | 笑 | 里 | 藏 | 刀 |
| 李 | 代 | 桃 | 僵 | 顺 | 手 | 牵 | 羊 |

偏旁部首：病字旁

技法图解

撇勿过弯

指点迷津

▶ 首点高昂
▶ 撇为竖撇
▶ 末提稍平

偏旁部首练习

疒　疒　疒　疒　疒　疒

疒　疒　疒　疒　疒　疒

疒　疒　疒　疒　疒　疒

例字练习

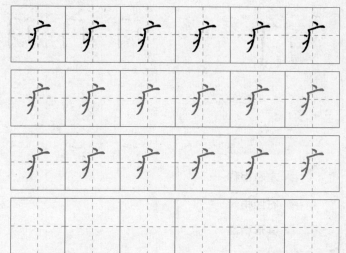

病	病	病			病	病
疗	疗	疗			疗	疗
疤	疤	疤			疤	疤

情感之最

最温暖的是亲情。

最感人的是热情。

偏旁部首：走之儿

技法图解

首点靠右
短横扛肩
辶
一波三折

指点迷津

▶ 首点靠右
▶ 弯形准确
▶ 末捺舒展

偏旁部首练习

辶	辶	辶	辶	辶	辶
辶	辶	辶	辶	辶	辶
辶	辶	辶	辶	辶	辶

例字练习

达	达	达			达	达
迈	迈	迈			迈	迈
进	进	进			进	进

三十六计

打	草	惊	蛇	借	尸	还	魂
调	虎	离	山	欲	擒	故	纵

偏旁部首：反文旁

技法图解

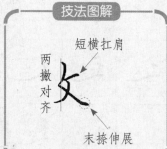

短横扛肩

两撇对齐

末捺伸展

指点迷津

▶ 左收右放

▶ 两撇对齐

▶ 捺笔伸展

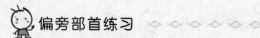
偏旁部首练习

攵	攵	攵	攵	攵	攵
攵	攵	攵	攵	攵	攵
攵	攵	攵	攵	攵	攵

例字练习

改	改	改			改	改
敌	敌	敌			敌	敌
敬	敬	敬			敬	敬

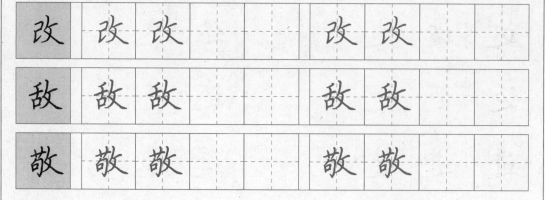

情感之最

最难知的是动情。

最浪漫的是爱情。

偏旁部首：草字头

技法图解

上长下短

艹

长横略带弧度

指点迷津

▶ 其形勿高
▶ 右竖化撇
▶ 略呈羊角

 偏旁部首练习

艹	艹	艹	艹	艹	艹
艹	艹	艹	艹	艹	艹
艹	艹	艹	艹	艹	艹

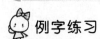 例字练习

节	节	节		节	节
芯	芯	芯		芯	芯
花	花	花		花	花

三十六计

| 抛 | 砖 | 引 | 玉 | 擒 | 贼 | 擒 | 王 |
| 釜 | 底 | 抽 | 薪 | 浑 | 水 | 摸 | 鱼 |

偏旁部首： 气字旁

技法图解

平行等距

注意钩向

指点迷津

▶ 诸横平行

▶ 斜钩劲展

▶ 末钩上扬

偏旁部首练习

气	气	气	气	气	气
气	气	气	气	气	气
气	气	气	气	气	气

例字练习

氘	氘	氘		氘	氘
氚	氚	氚		氚	氚
氡	氡	氡		氡	氡

情感
之最

| 最 | 难 | 懂 | 的 | 是 | 表 | 情 | 。 |
| 最 | 难 | 说 | 的 | 是 | 激 | 情 | 。 |

偏旁部首：提手旁

技法图解

提笔左探 → 扌

右部出头勿长

指点迷津

▶ 横笔扛肩
▶ 竖笔劲挺
▶ 竖要靠右

偏旁部首练习

扌	扌	扌	扌	扌	扌
扌	扌	扌	扌	扌	扌
扌	扌	扌	扌	扌	扌

例字练习

扩	扩	扩			扩	扩
抚	抚	抚			抚	抚
拒	拒	拒			拒	拒

三十六计

| 金 | 蝉 | 脱 | 壳 | 关 | 门 | 捉 | 贼 |
| 远 | 交 | 近 | 攻 | 假 | 道 | 伐 | 虢 |

偏旁部首：木字旁

技法图解

竖上下比例1:2

右部取齐

指点迷津

▶ 横笔扛肩
▶ 竖笔靠右
▶ 点不宜高

偏旁部首练习

木	木	木	木	木	木
木	木	木	木	木	木
木	木	木	木	木	木

例字练习

札	札	札			札	札
朽	朽	朽			朽	朽
权	权	权			权	权

 情感之最

| 最 | 难 | 写 | 的 | 是 | 心 | 情 | 。 |
| 最 | 难 | 还 | 的 | 是 | 人 | 情 | 。 |

偏旁部首：口字旁

技法图解

口

注意搭接

指点迷津

▶ 倒梯形状
▶ 左竖通下
▶ 下横通右

偏旁部首练习

口	口	口	口	口	口
口	口	口	口	口	口
口	口	口	口	口	口

例字练习

吃	吃	吃		吃	吃	
右	右	右		右	右	
可	可	可		可	可	

三十六计

偷	梁	换	柱	指	桑	骂	槐
假	痴	不	癫	上	屋	抽	梯

偏旁部首：示字旁

技法图解

横扛肩　首点勿低

竖末垂露

指点迷津

▶ 首点靠右
▶ 撇笔勿长
▶ 竖笔勿斜

 偏旁部首练习

 例字练习

祈	祈	祈			祈	祈
祛	祛	祛			祛	祛
祥	祥	祥			祥	祥

 情感之最

最 难 忘 的 是 友 情 。

最 难 寻 的 是 真 情 。

单元复习二

巩固练习

忄	忄	忄			忄	忄		
宀	宀	宀			宀	宀		
门	门	门			门	门		
辶	辶	辶			辶	辶		
艹	艹	艹			艹	艹		
扌	扌	扌			扌	扌		
口	口	口			口	口		

速度练习

| 三分钟完成 | 曾 | 经 | 沧 | 海 | 难 | 为 | 水 | ， |
| | 除 | 却 | 巫 | 山 | 不 | 是 | 云 | 。 |

偏旁部首：心字底

技法图解

弯形准确

心

下取平

指点迷津

▶ 下部齐平
▶ 左点稍直
▶ 末点稍平

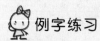 偏旁部首练习

心	心	心	心	心	心
心	心	心	心	心	心
心	心	心	心	心	心

例字练习

忘	忘	忘			忘	忘
志	志	志			志	志
态	态	态			态	态

情感之最

最	难	舍	的	是	交	情	。
最	难	谈	的	是	感	情	。

偏旁部首：方框儿

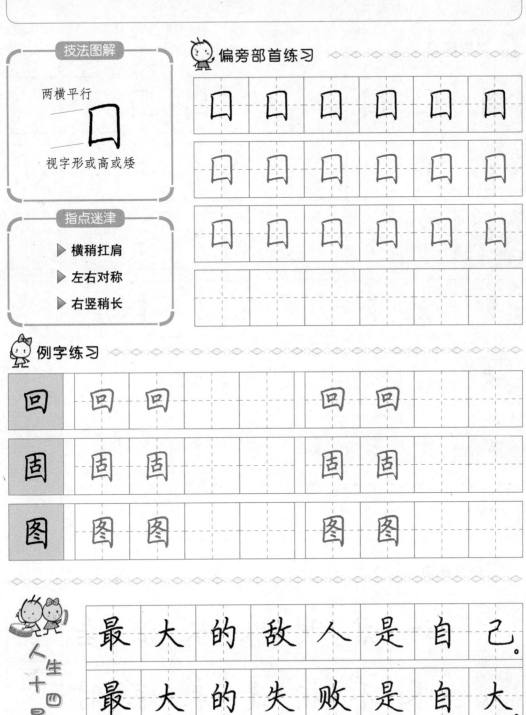

技法图解

两横平行

口

视字形或高或矮

指点迷津

▶ 横稍扛肩
▶ 左右对称
▶ 右竖稍长

偏旁部首练习

例字练习

回	回	回			回	回
固	固	固			固	固
图	图	图			图	图

人生四最

最 大 的 敌 人 是 自 己。

最 大 的 失 败 是 自 大。

单元复习三

巩固练习

口	口	口			口	口		
彳	彳	彳			彳	彳		
犭	犭	犭			犭	犭		
饣	饣	饣			饣	饣		
女	女	女			女	女		
纟	纟	纟			纟	纟		
灬	灬	灬			灬	灬		

速度练习

三分钟完成	还	君	明	珠	双	泪	垂	，
	恨	不	相	逢	未	嫁	时	。

偏旁部首：双人旁

技法图解

长短不同

彳

指向不同

竖末垂露

指点迷津

▶ 两撇准确

▶ 竖笔垂直

▶ 其形挺立

偏旁部首练习

彳	彳	彳	彳	彳	彳
彳	彳	彳	彳	彳	彳
彳	彳	彳	彳	彳	彳

例字练习

径	径	径			径	径		
徒	徒	徒			徒	徒		
微	微	微			微	微		

人生四最

| 最 | 大 | 的 | 无 | 知 | 是 | 欺 | 骗。 |
| 最 | 大 | 的 | 悲 | 哀 | 是 | 嫉 | 妒。 |

偏旁部首：四点底

技法图解

灬

高低错落，边大中小

指点迷津

▶ 指向不同
▶ 大小不同
▶ 距离相等

偏旁部首练习

例字练习

杰	杰	杰			杰	杰
烈	烈	烈			烈	烈
然	然	然			然	然

人生四最

| 最 | 大 | 的 | 欠 | 缺 | 是 | 顿 | 悟。 |
| 最 | 大 | 的 | 欣 | 慰 | 是 | 布 | 施。 |

偏旁部首：反犬旁

技法图解

右部双齐
弧度勿大

指向不同

指点迷津

▶ 其形勿短
▶ 身弯形正
▶ 两撇不同

偏旁部首练习

犭 犭 犭 犭 犭 犭

犭 犭 犭 犭 犭 犭

犭 犭 犭 犭 犭 犭

例字练习

犯	犯	犯			犯	犯	
独	独	独			独	独	
狐	狐	狐			狐	狐	

人生四最

| 最 | 大 | 的 | 错 | 误 | 是 | 自 | 弃 | 。 |
| 最 | 大 | 罪 | 过 | : | 自 | 欺 | 欺 | 人 | 。 |

偏旁部首：绞丝旁

技法图解

角度不同

指点迷津

▶ 其身勿宽

▶ 指向准确

▶ 长短准确

偏旁部首练习

纟 纟 纟 纟 纟 纟

纟 纟 纟 纟 纟 纟

纟 纟 纟 纟 纟 纟

 例字练习

纠	纠	纠			纠	纠
约	约	约			约	约
纪	纪	纪			纪	纪

最大的债务是情债。
最大的礼物是宽恕。

偏旁部首：食字旁

技法图解

竖笔靠左
提笔稍长

指点迷津

▶ 首撇稍长
▶ 竖笔挺立
▶ 提笔锋利

偏旁部首练习

例字练习

饥	饥	饥			饥	饥	
饼	饼	饼			饼	饼	
饱	饱	饱			饱	饱	

人生十四最

| 最 | 可 | 怜 | 的 | 性 | 情 | : | 自 | 卑 | 。 |
| 最 | 可 | 佩 | 服 | 的 | 是 | 精 | 进 | 。 |

偏旁部首：女字旁